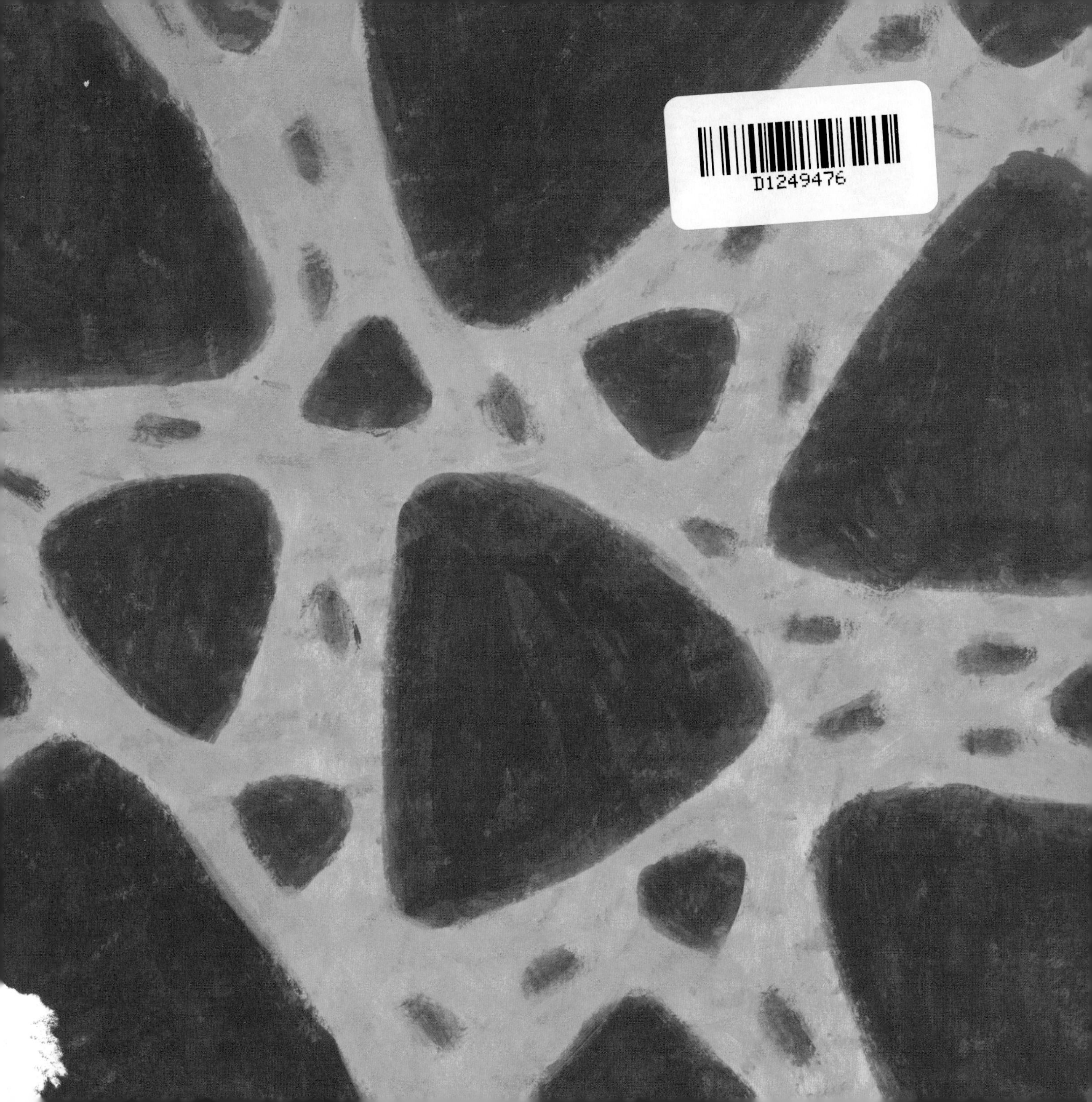

Zafo
le petit pirate !

Texte de Virginie Hanna
Illustrations de Michel Boucher

AUZOU

Zafo le girafeau se prépare pour aller à l'école.
Il a pris son petit déjeuner et ses dents sont
bien brossées. Mais au moment de partir,
Zafo ne veut pas mettre l'écharpe
que maman lui a préparée.

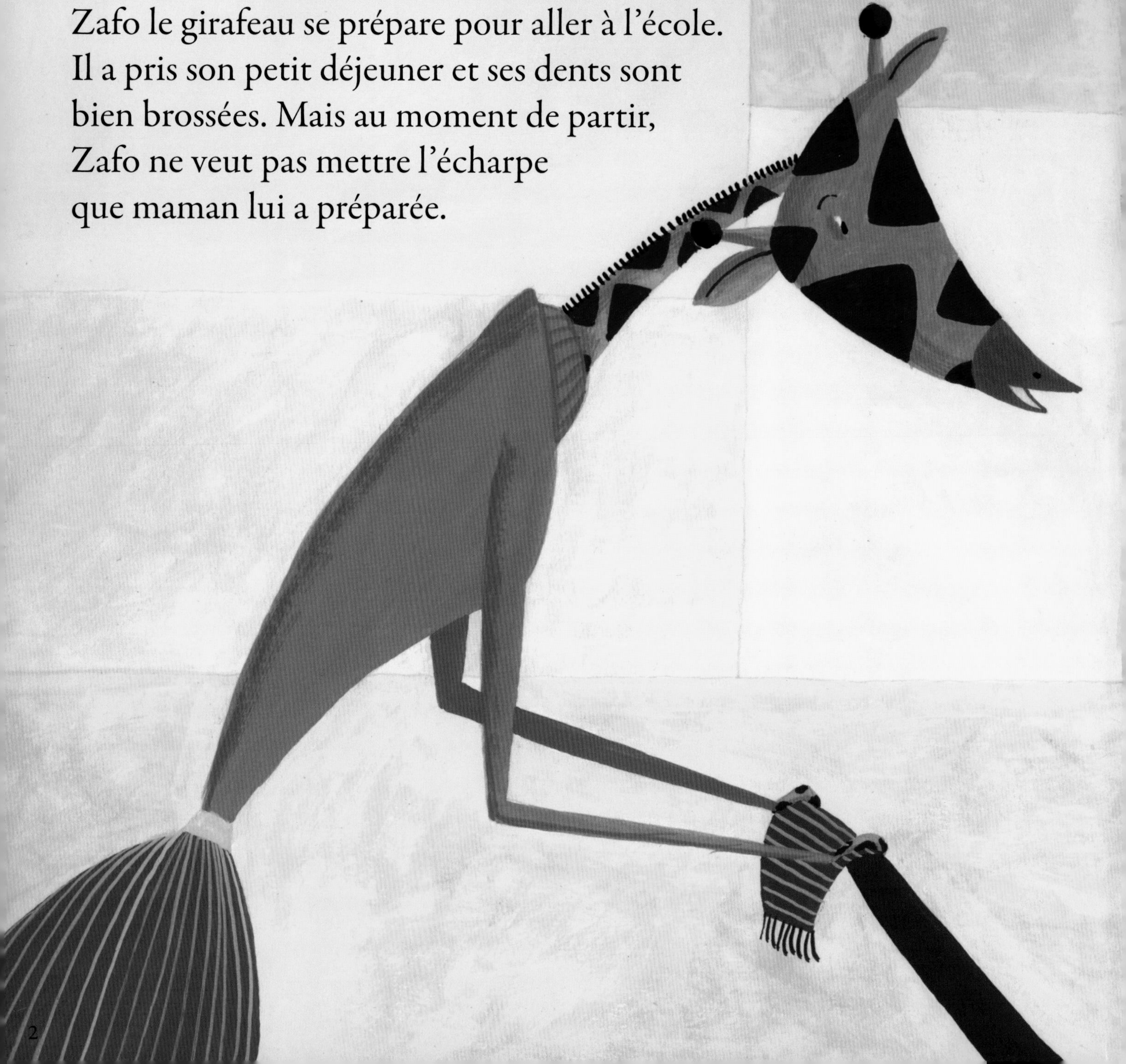

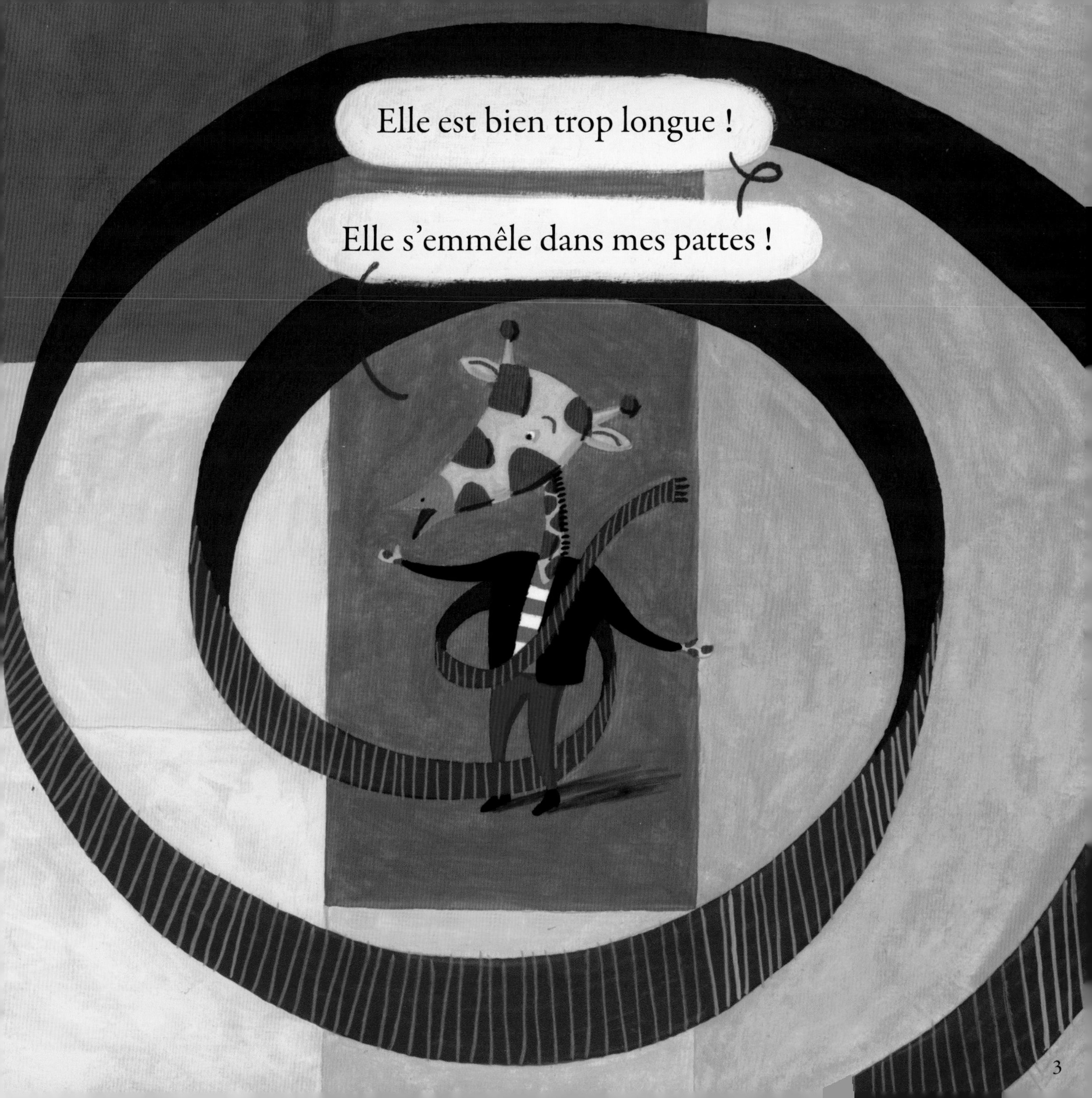
Elle est bien trop longue !
Elle s’emmêle dans mes pattes !

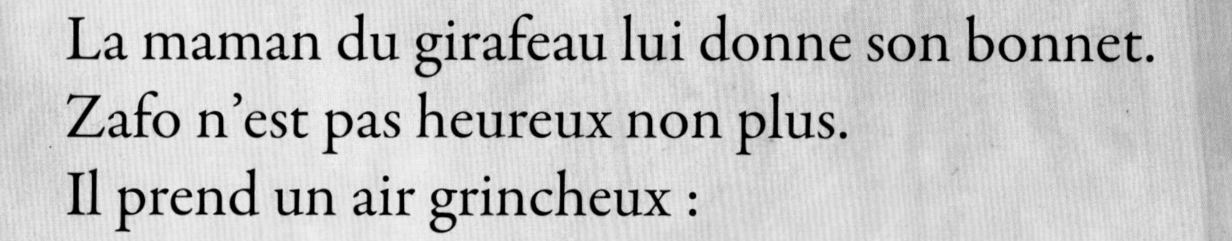

La maman du girafeau lui donne son bonnet.
Zafo n'est pas heureux non plus.
Il prend un air grincheux :

« Je ressemble à un lion
avec ce truc sur ma tête.
On dirait que j'ai une crinière ! »

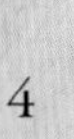

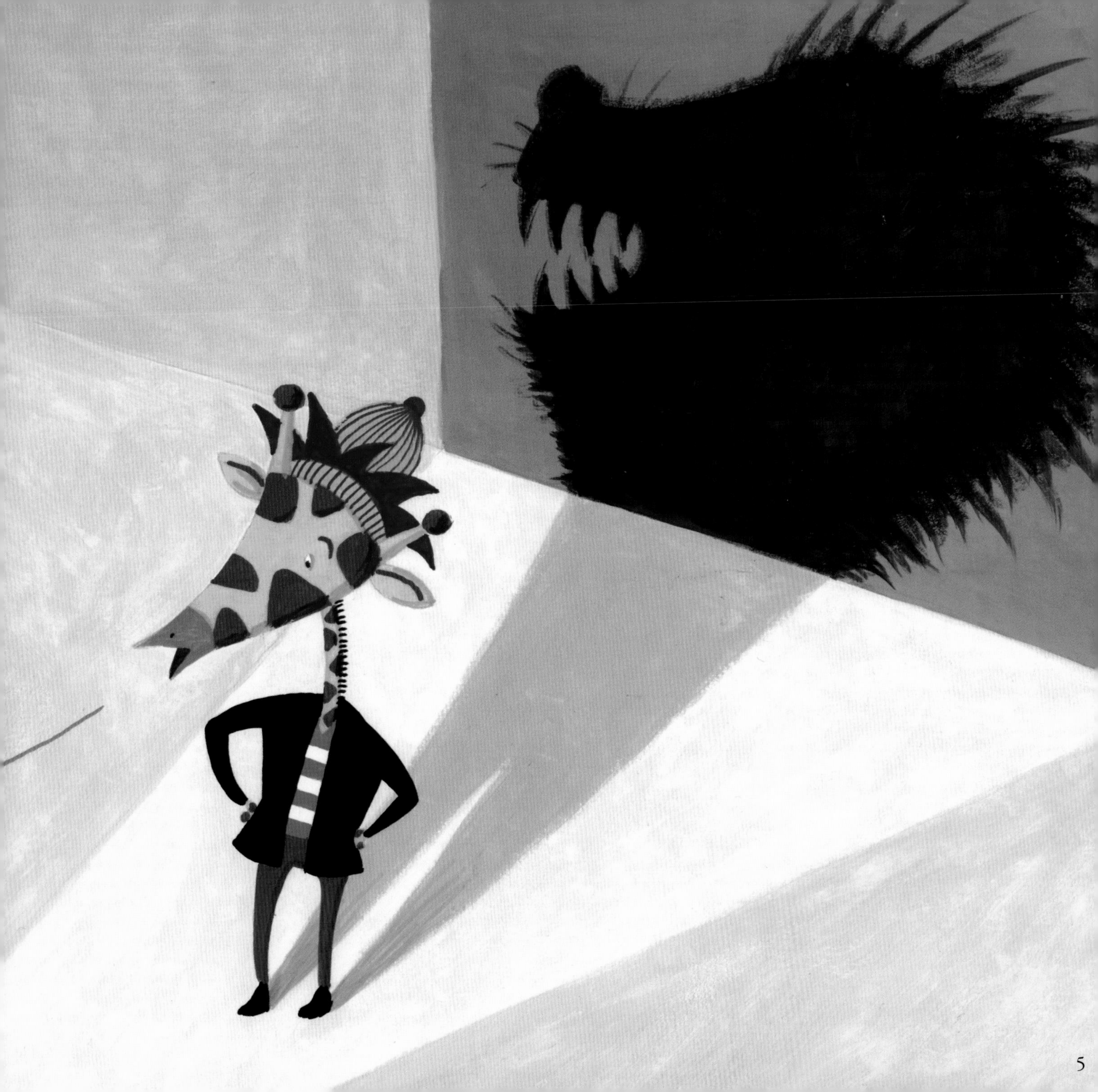

Zafo le bouchonne et le rend à sa maman.

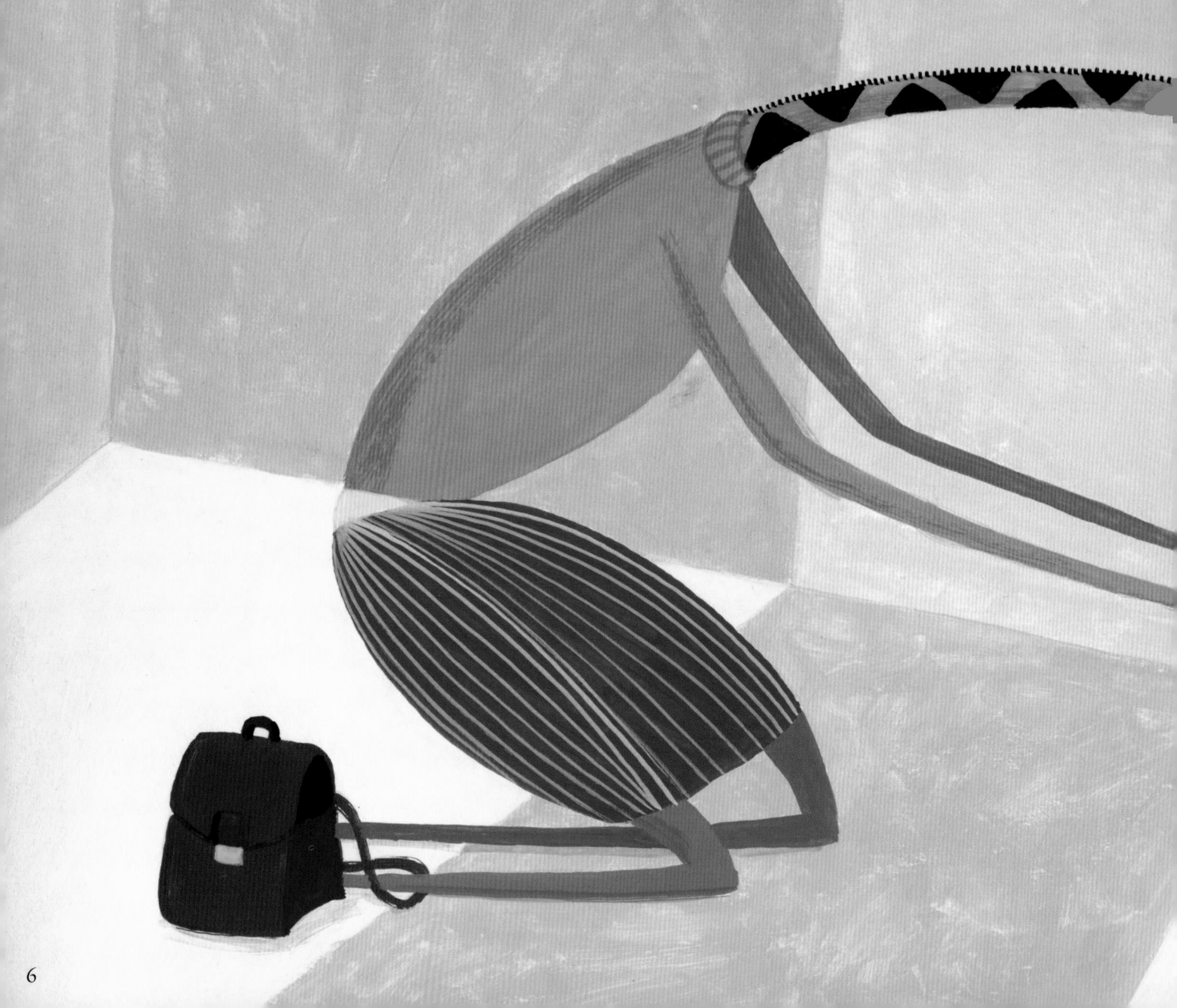

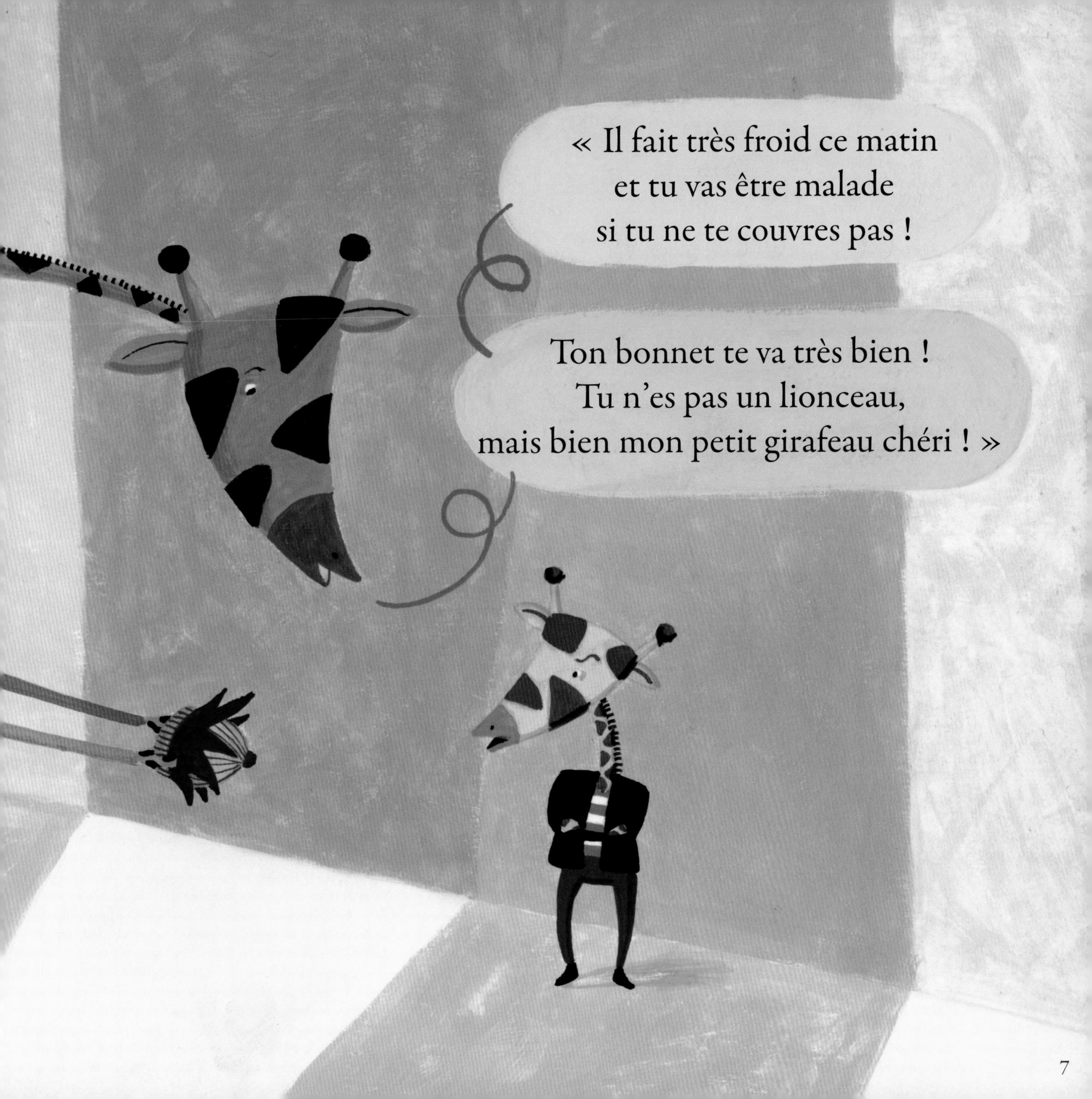

« Il fait très froid ce matin
et tu vas être malade
si tu ne te couvres pas !

Ton bonnet te va très bien !
Tu n'es pas un lionceau,
mais bien mon petit girafeau chéri ! »

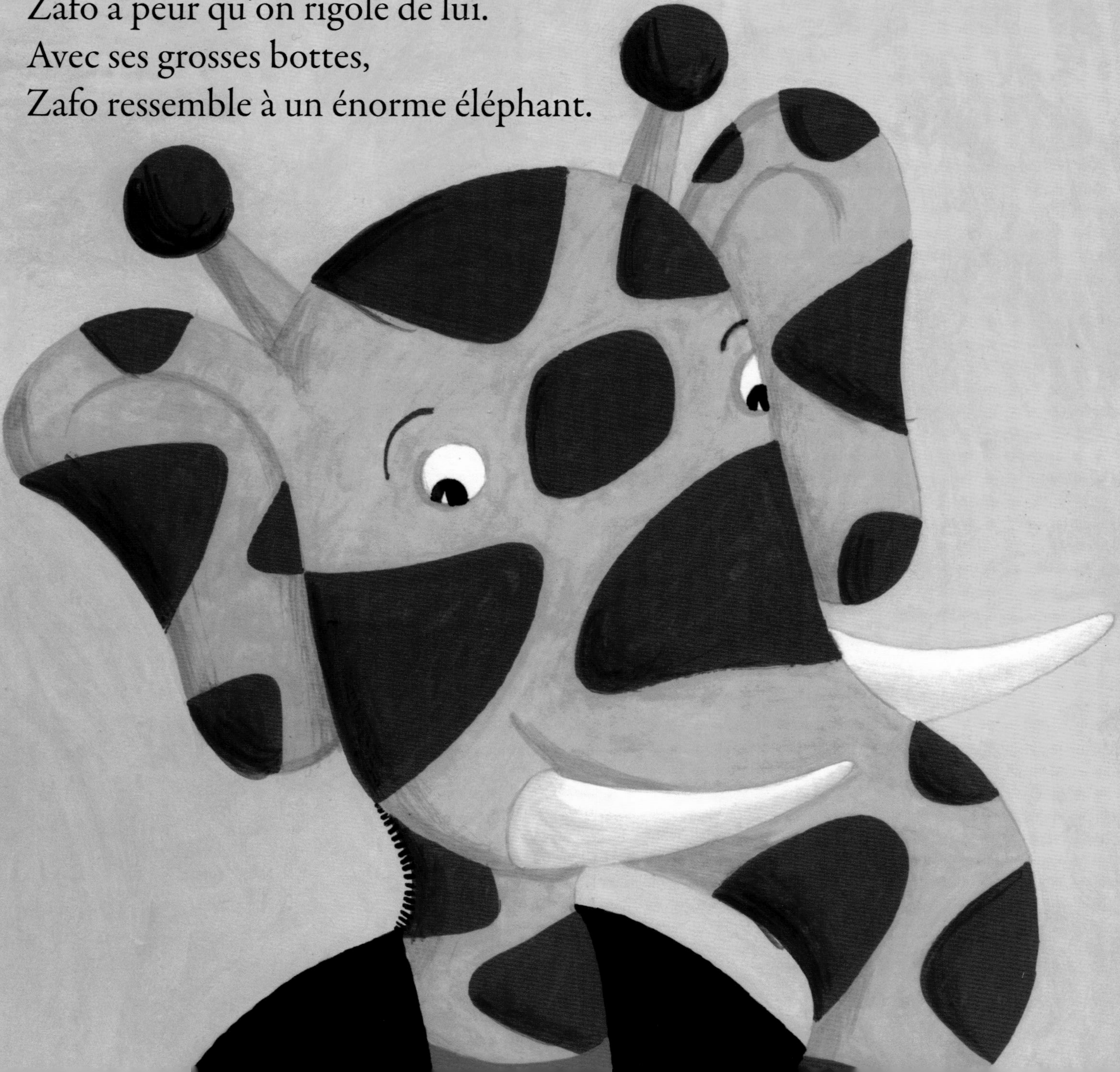

Zafo a peur qu'on rigole de lui.
Avec ses grosses bottes,
Zafo ressemble à un énorme éléphant.

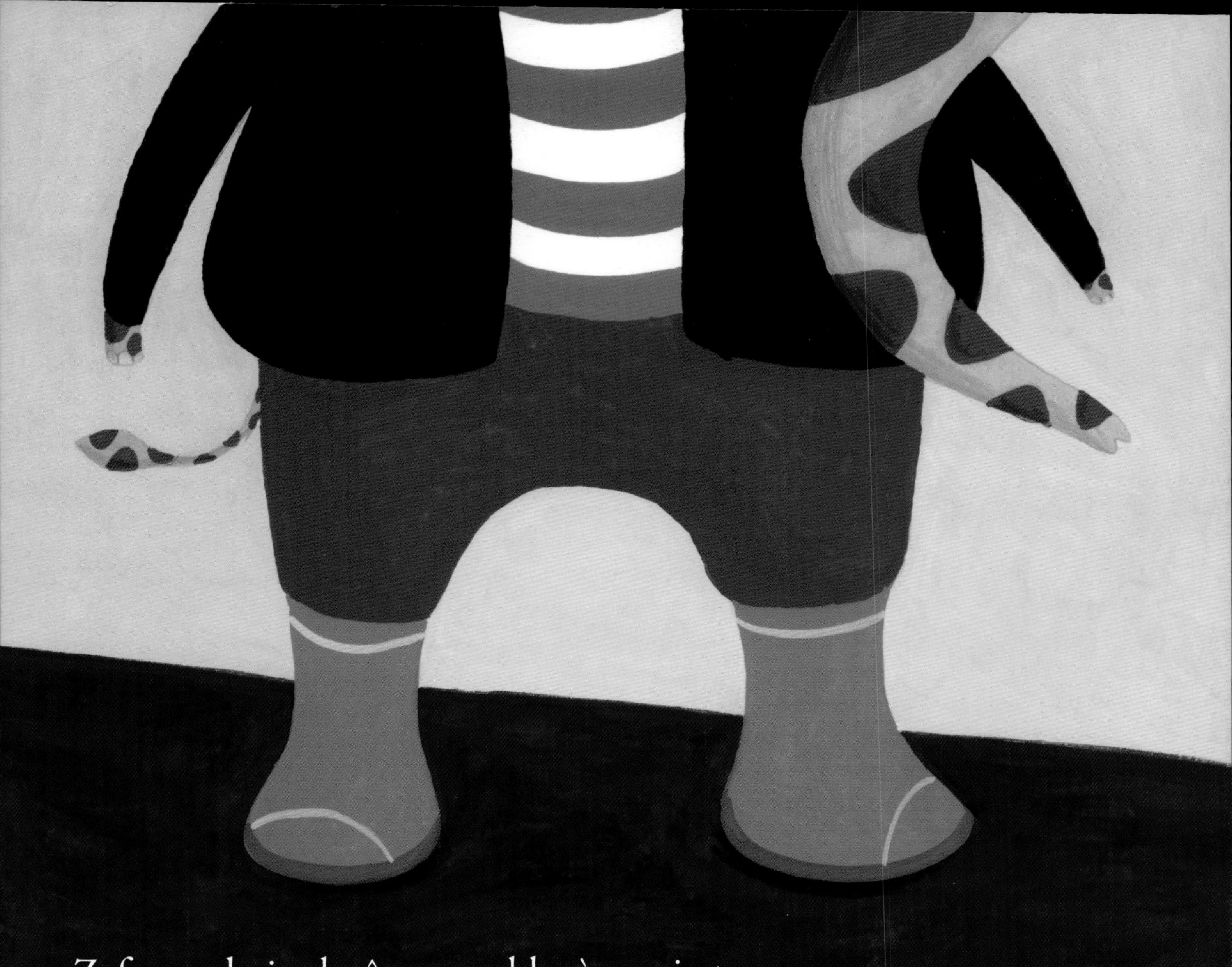

Zafo voudrait plutôt ressembler à un pirate.
Il a une idée : il court vite chercher son déguisement
dans sa chambre.

Sur le chemin de l'école, Zafo saute et chante.
Il donne des ordres comme les vrais pirates.
Il monte sur un banc et crie :

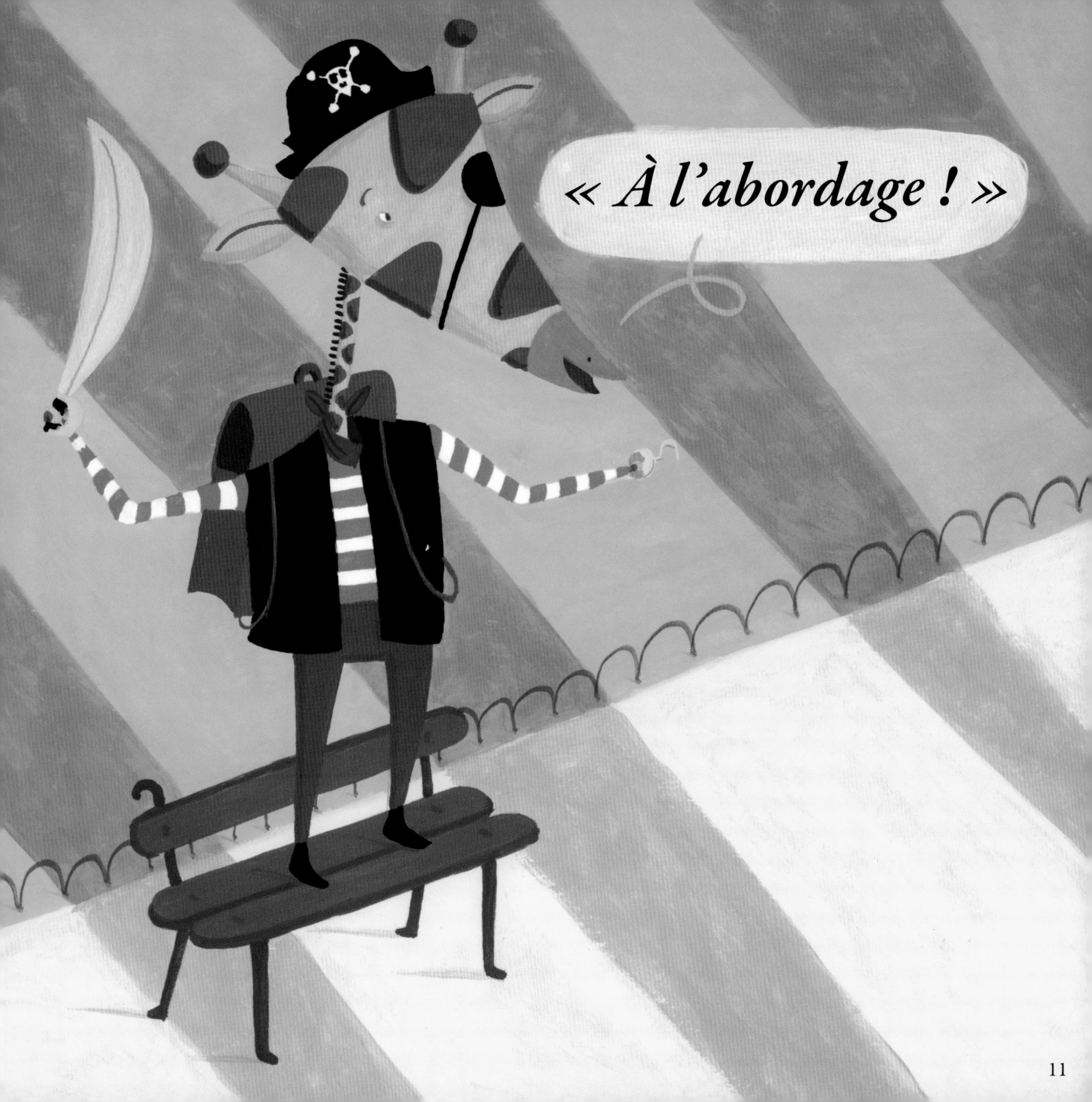

Il barre le passage
à sa maman et dit :

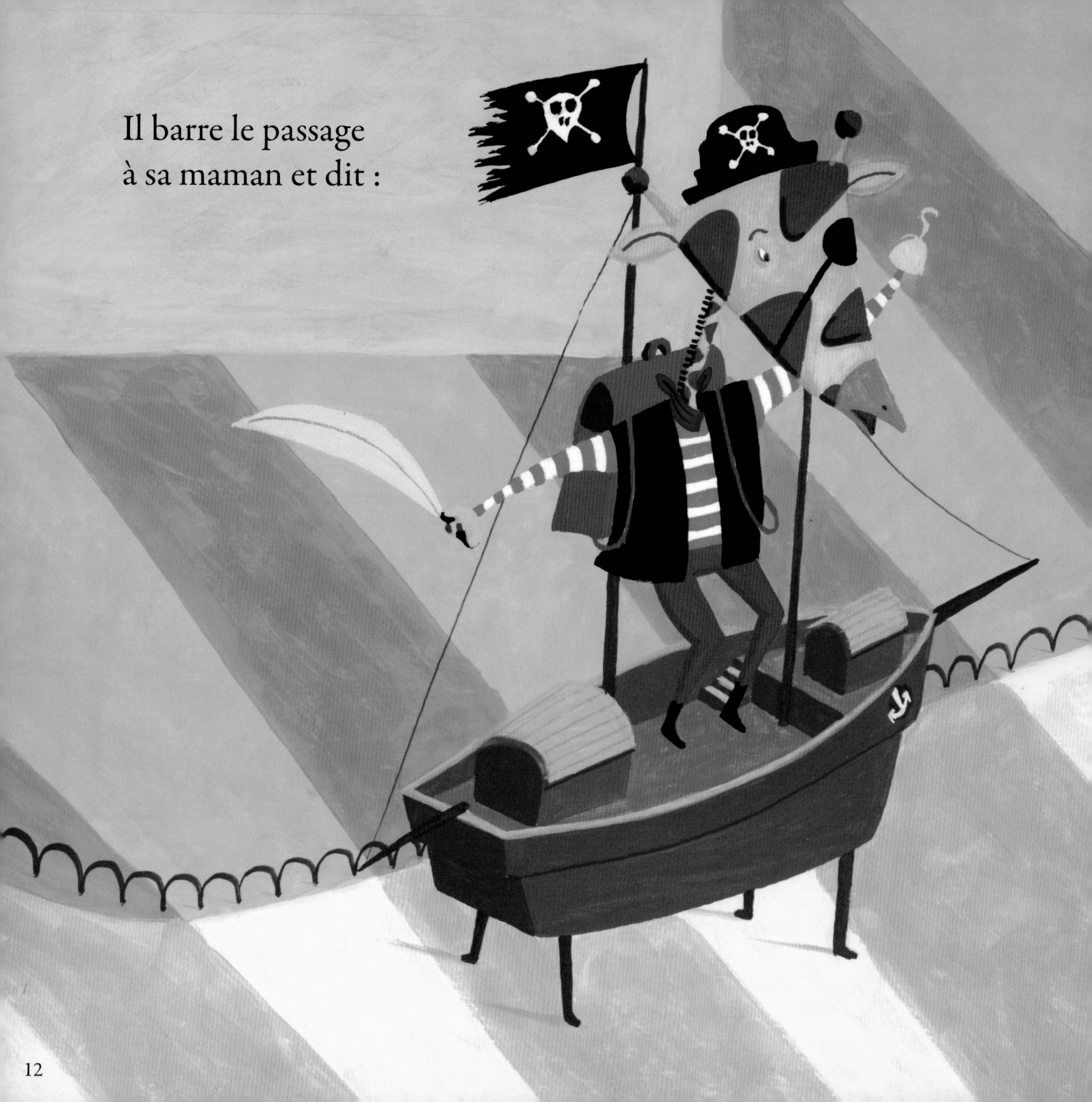

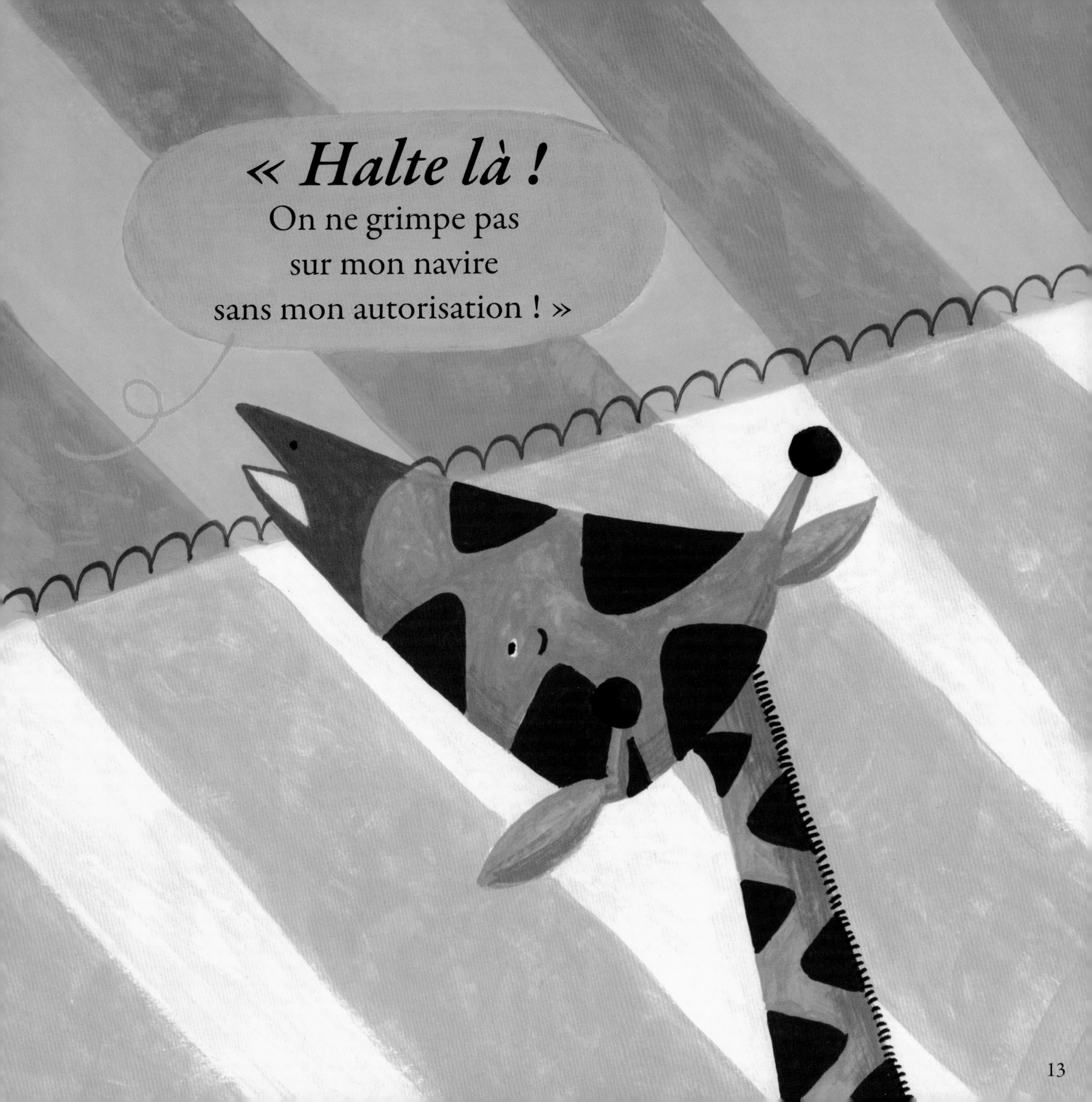
« *Halte là !*
On ne grimpe pas
sur mon navire
sans mon autorisation ! »

Il court après les pigeons en criant :

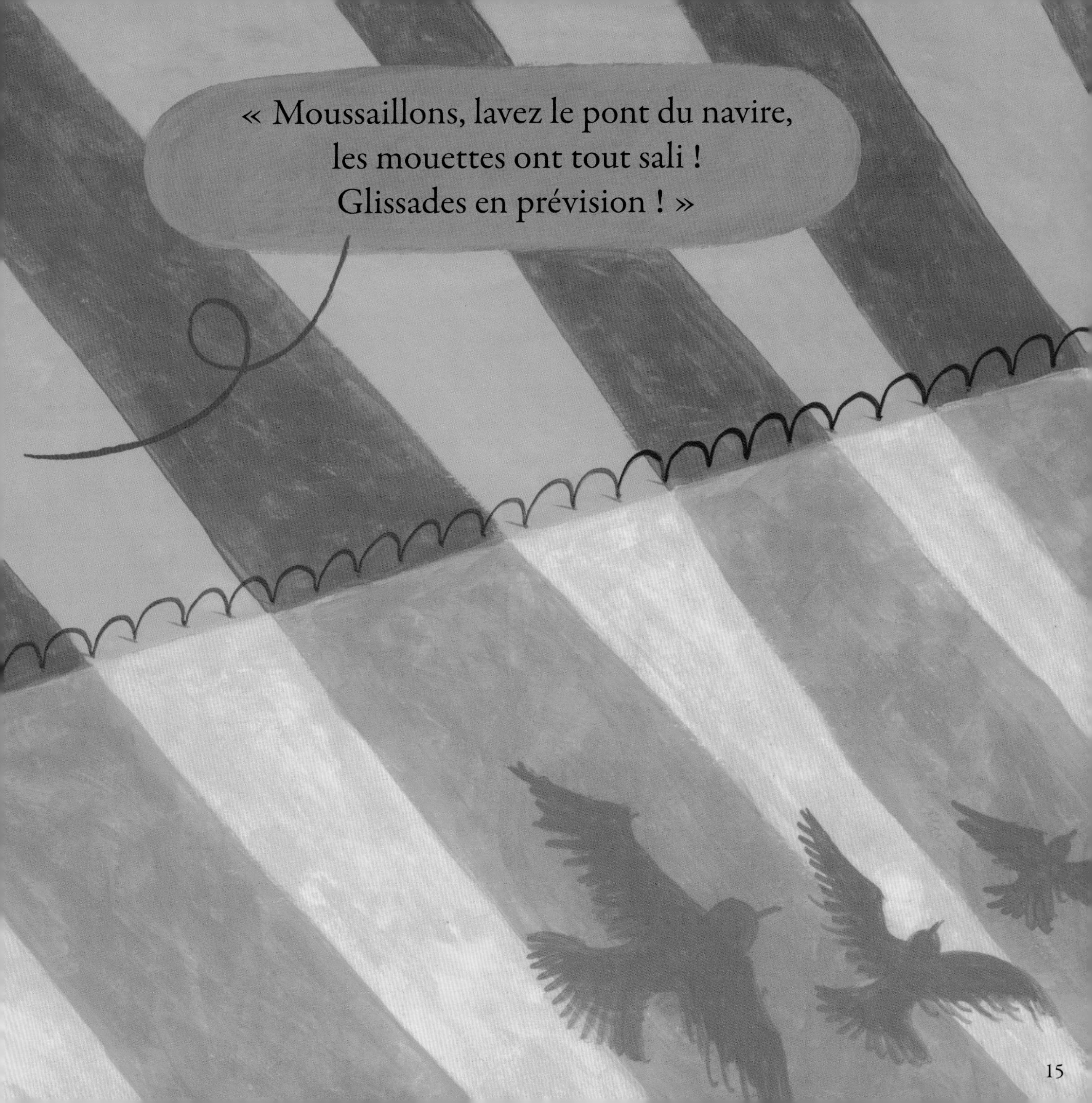
« Moussaillons, lavez le pont du navire,
les mouettes ont tout sali !
Glissades en prévision ! »

Soudain, un gros :

ATCHOUM

vient interrompre le jeu de Zafo.
Pas de doute, il est en train de s'enrhumer !
Quelques gouttes coulent déjà de son nez.

Sa maman fronce les sourcils.
Zafo voit bien qu'elle n'est pas contente.
Les gouttes tombent jusqu'à terre.
Il y en a de plus en plus.
Bientôt ce sera une véritable
inondation !

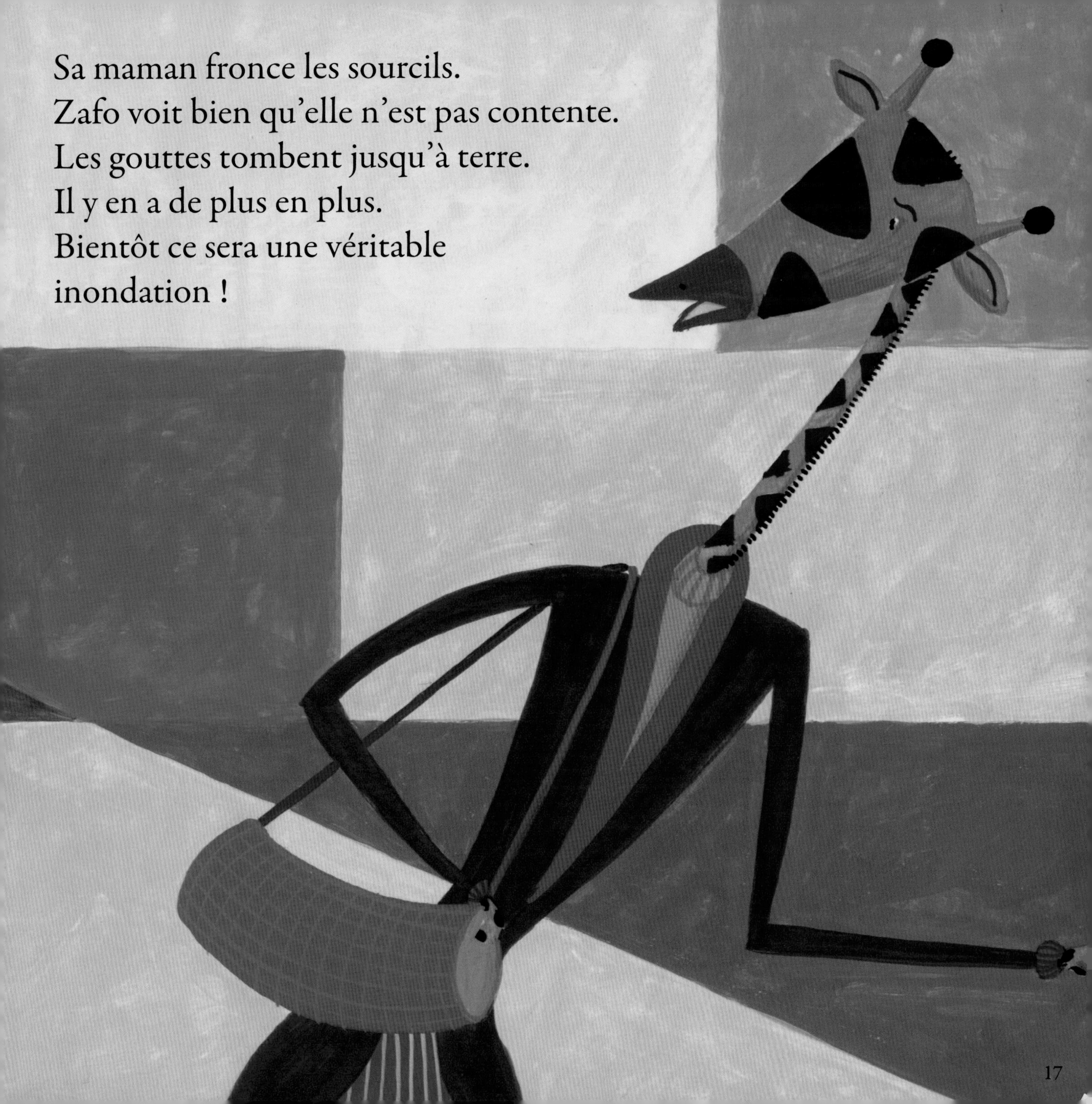

17

Ses copains le rejoignent.
Ils sont tous bien emmitouflés.
Ils regardent Zafo d'un air étonné,
comme s'ils ne le reconnaissaient pas.
Ils sont pressés d'aller se réchauffer
dans la classe.

18

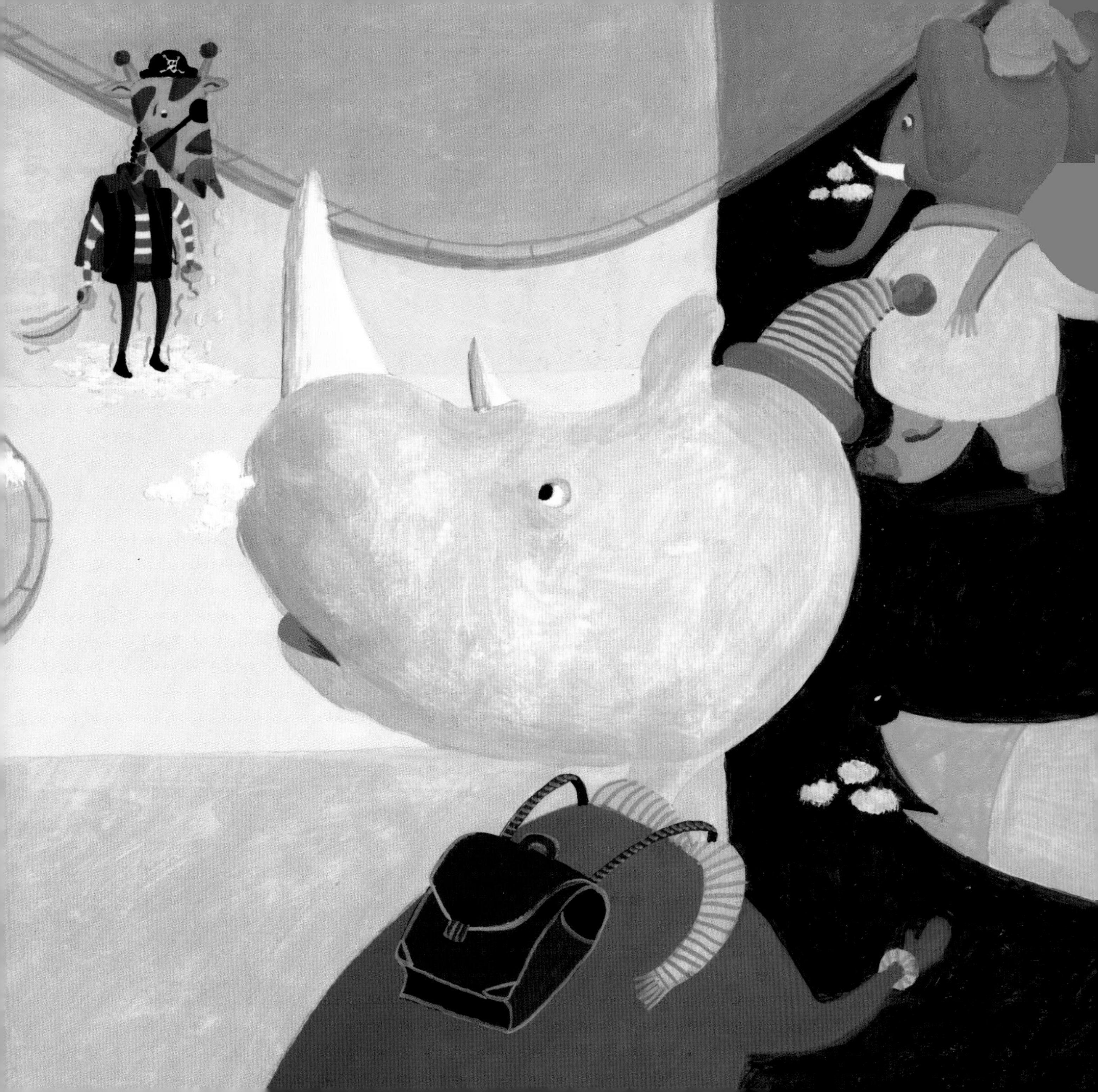

Zafo se sent soudain tout bête avec son déguisement.
Il se met à trembler, à gigoter et à claquer des dents.
Rien ne va plus pour le pirate Zafo !

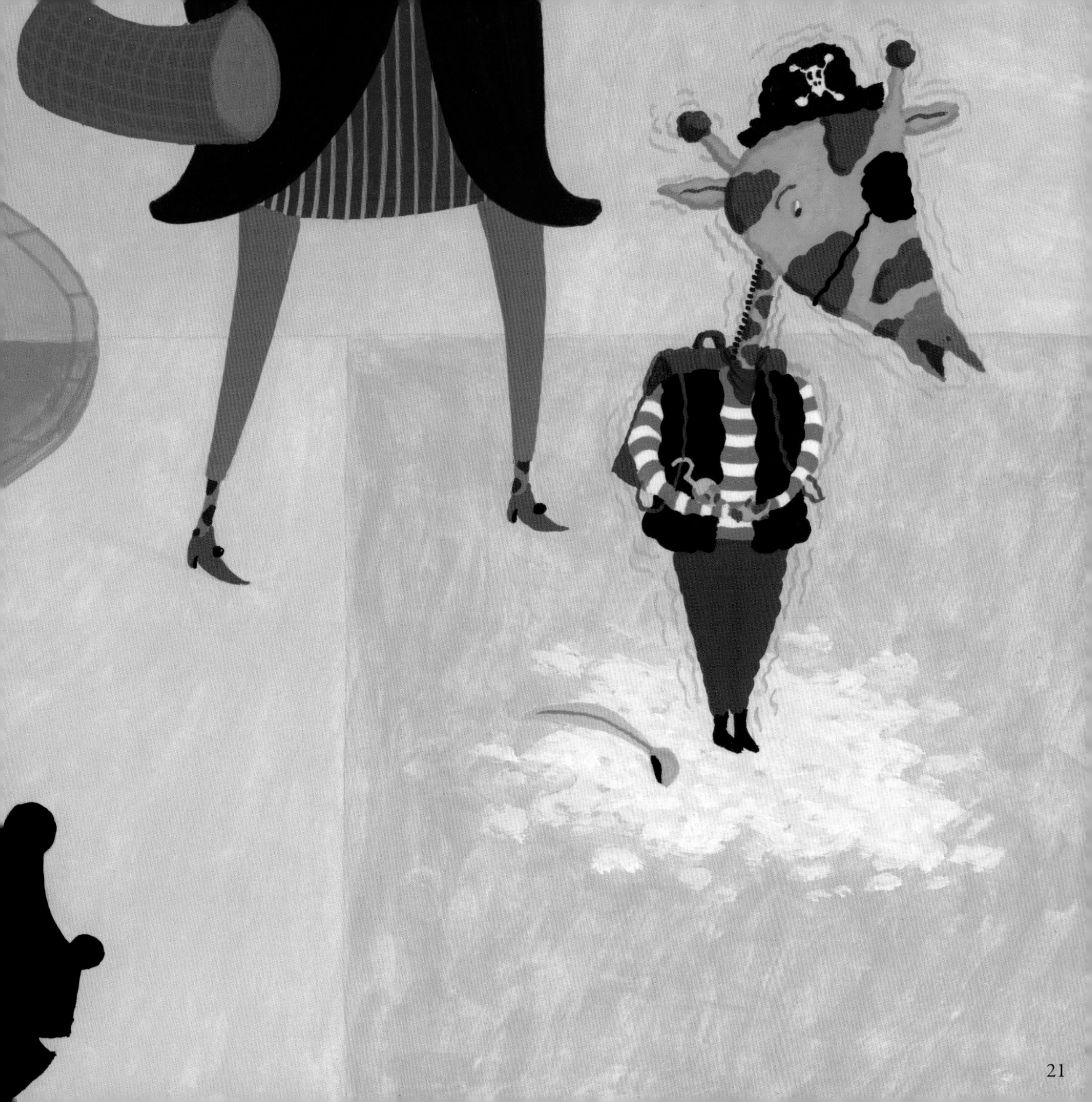

Sa maman lui sourit.
Elle trouve que son petit pirate est rigolo.
Un pirate avec un nez tout rouge
et qui est inondé jusqu'aux pieds !
Zafo le petit pirate serait-il en train
de se transformer en clown ?

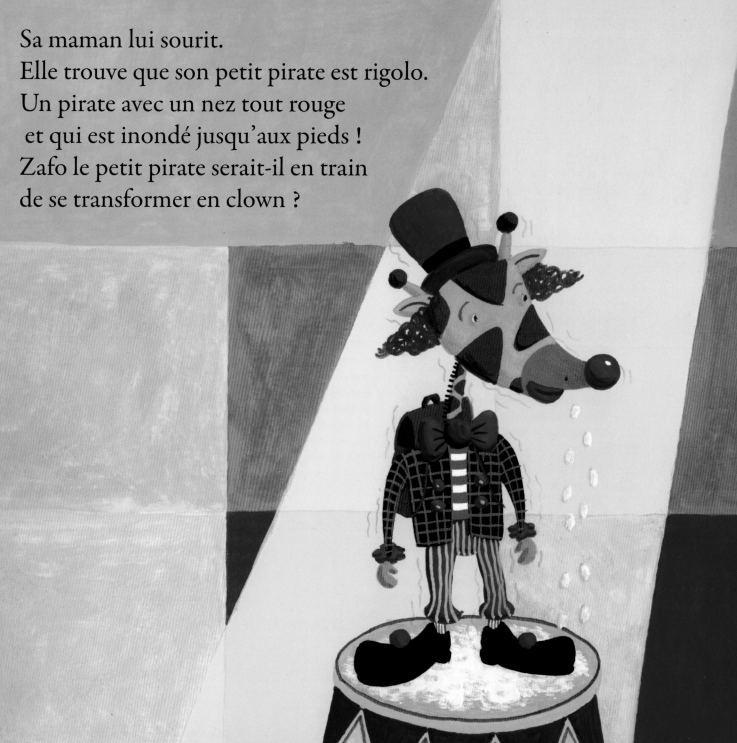

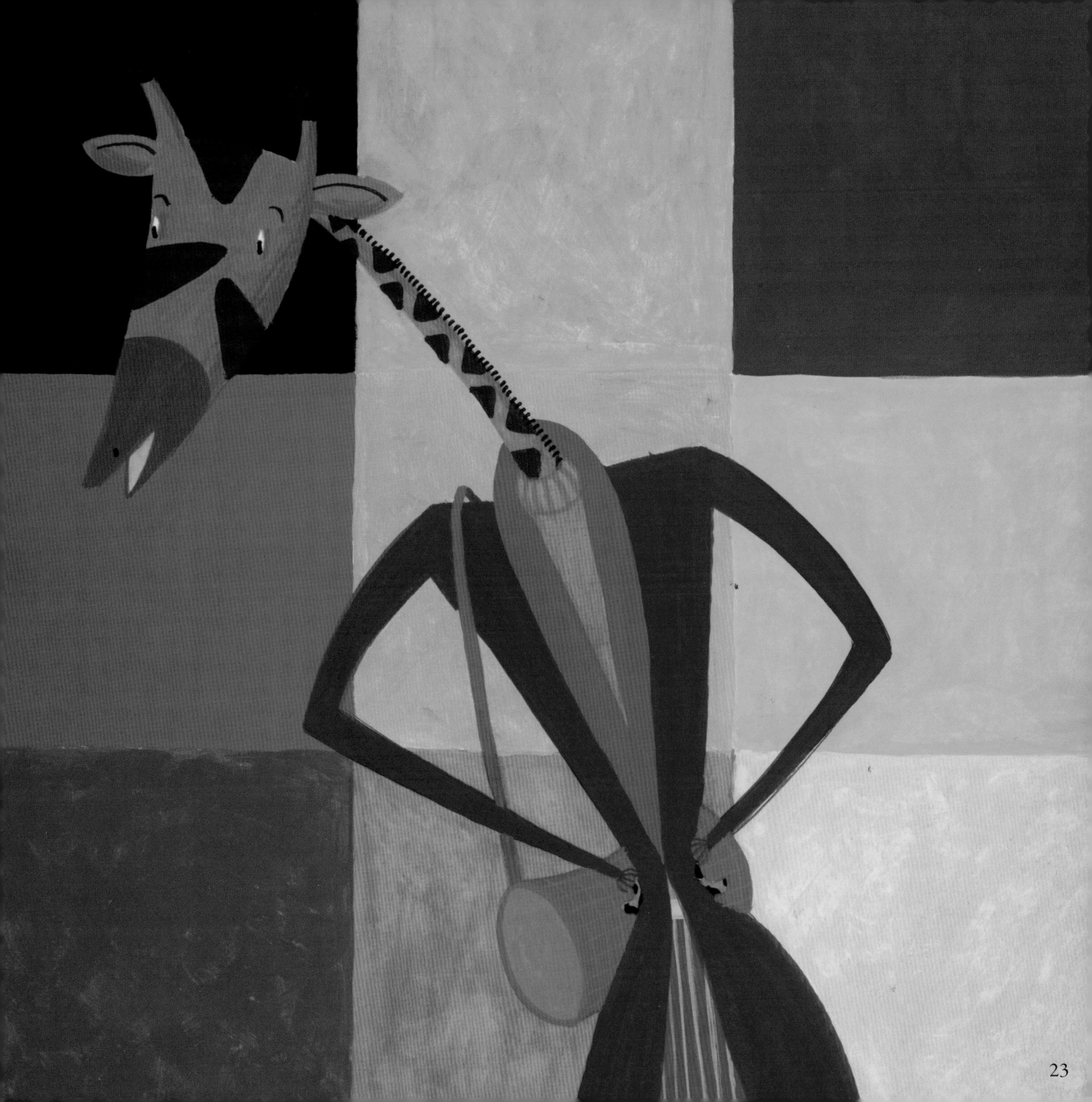

Zafo lui, ne trouve pas ça drôle du tout !
Un bon pirate ne coule pas ! Son bateau ne se fait pas arroser !
Et puis surtout un vrai pirate ne tremble pas !
Tout le monde va croire que Zafo le pirate a peur !

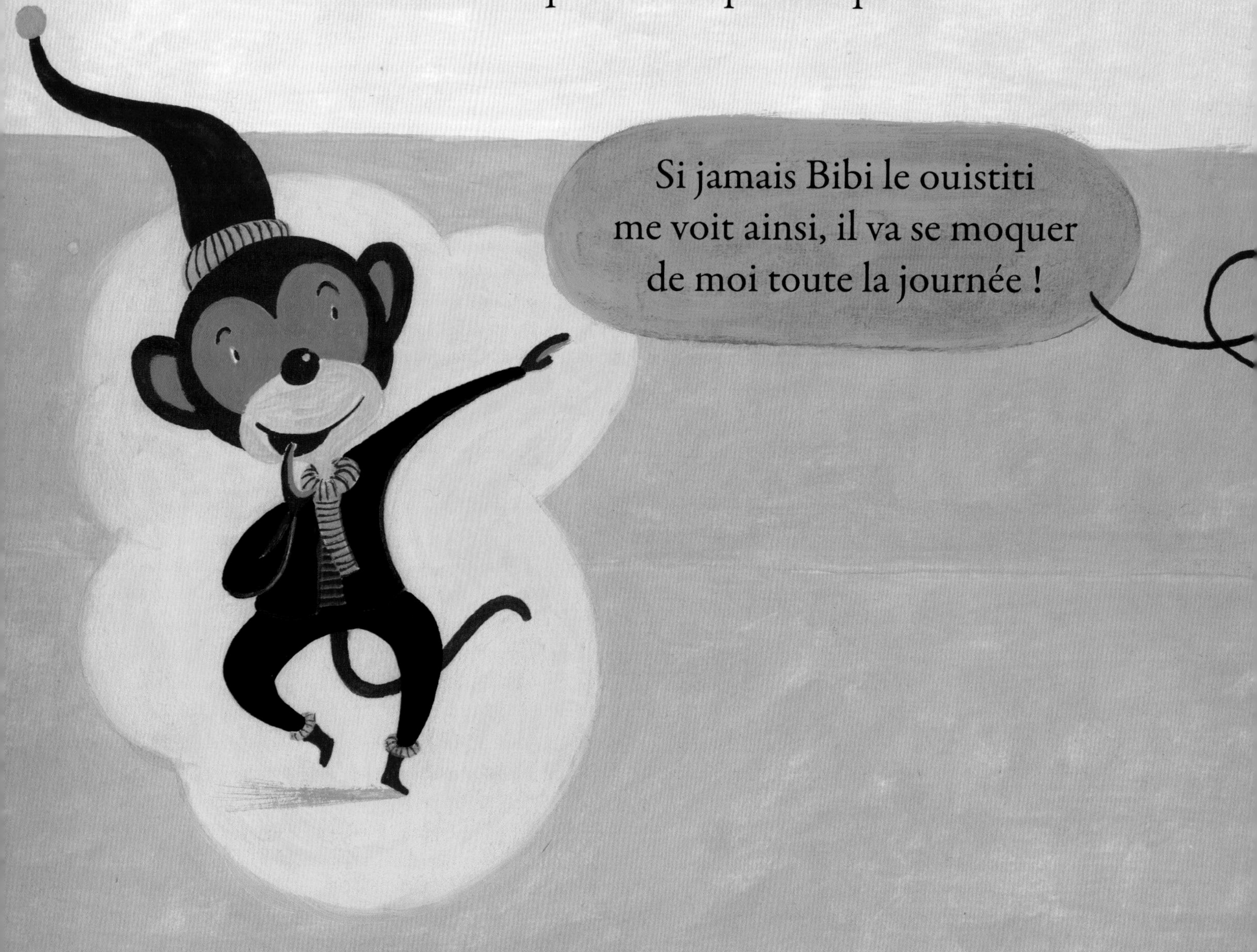

Si jamais Bibi le ouistiti
me voit ainsi, il va se moquer
de moi toute la journée !

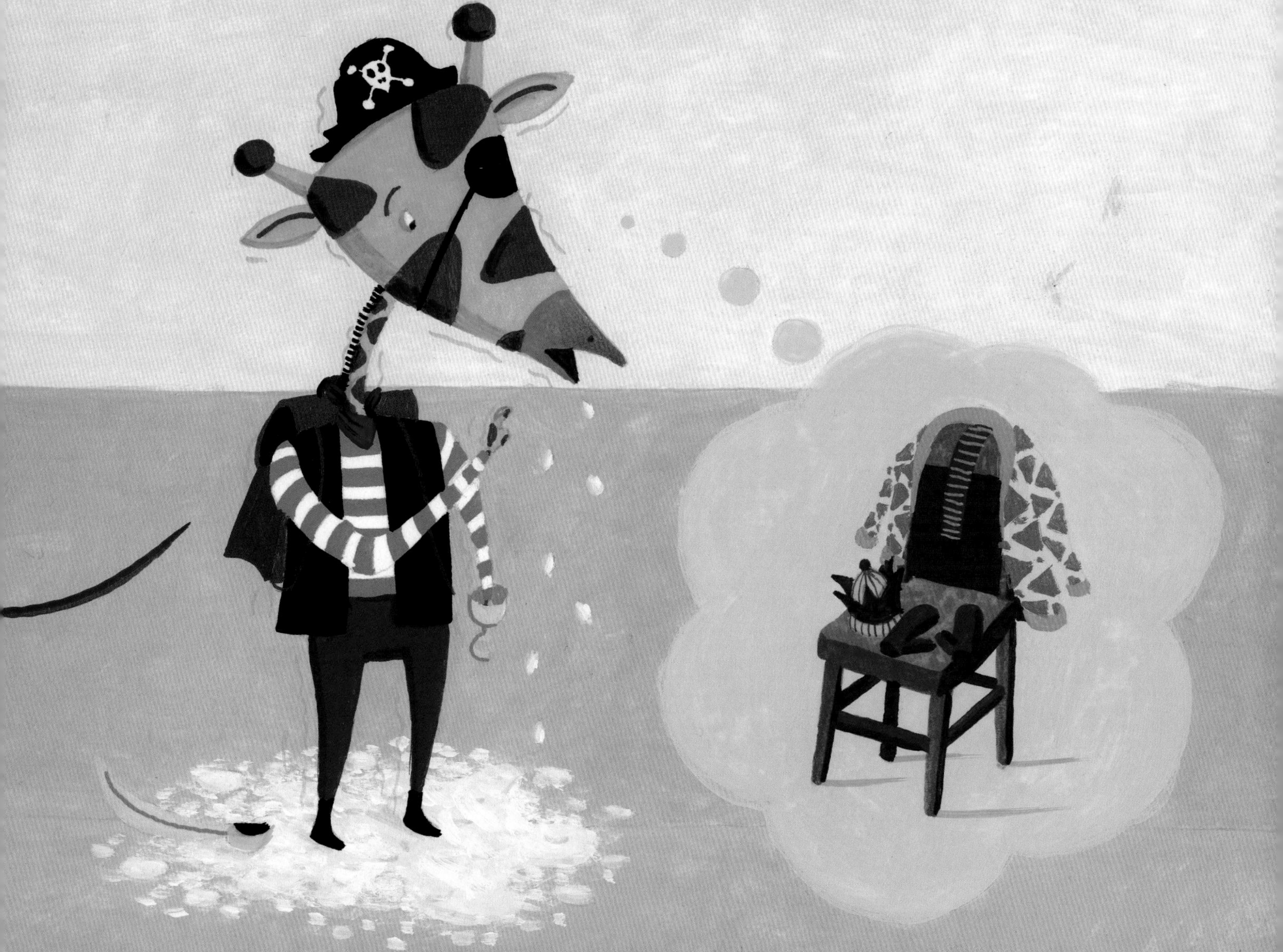

Rien que d'y penser, vite ! Zafo veut se changer.

Heureusement que sa maman est une vraie fée.
D'un coup de baguette magique,
elle sort l'équipement d'hiver de Zafo.
Comment fait-elle toujours pour savoir
ce qui va se passer ?

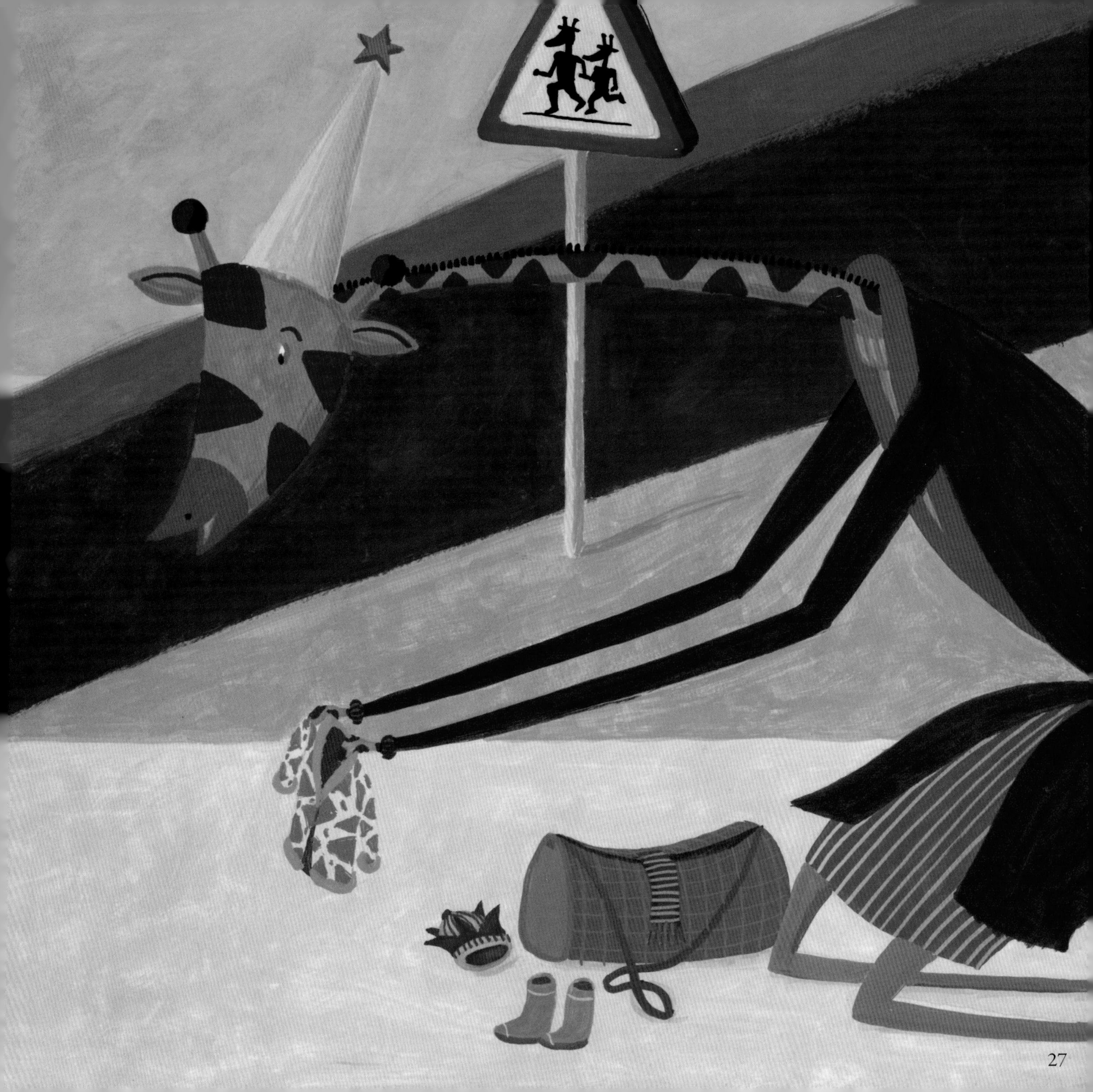

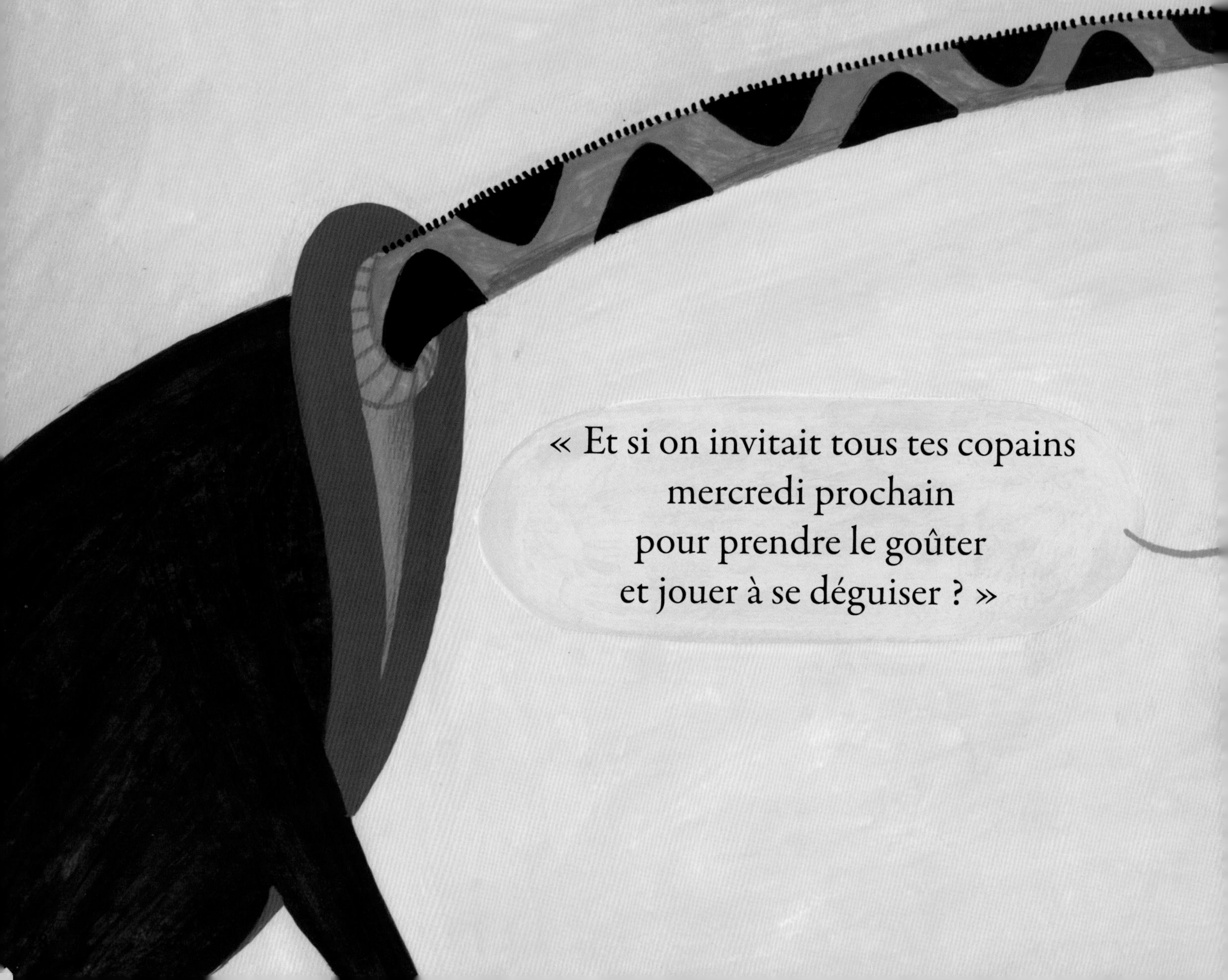

Pour consoler Zafo, sa maman a une bonne idée :

« Et si on invitait tous tes copains
mercredi prochain
pour prendre le goûter
et jouer à se déguiser ? »

Voilà Zafo rassuré et réchauffé.
Il fait un gros bisou sur le bout du nez
de sa maman pour la remercier.

Zafo arrive devant la porte
de la classe bien emmitouflé.
Ses amis sont tout heureux
d'être invités pour jouer chez Zafo.

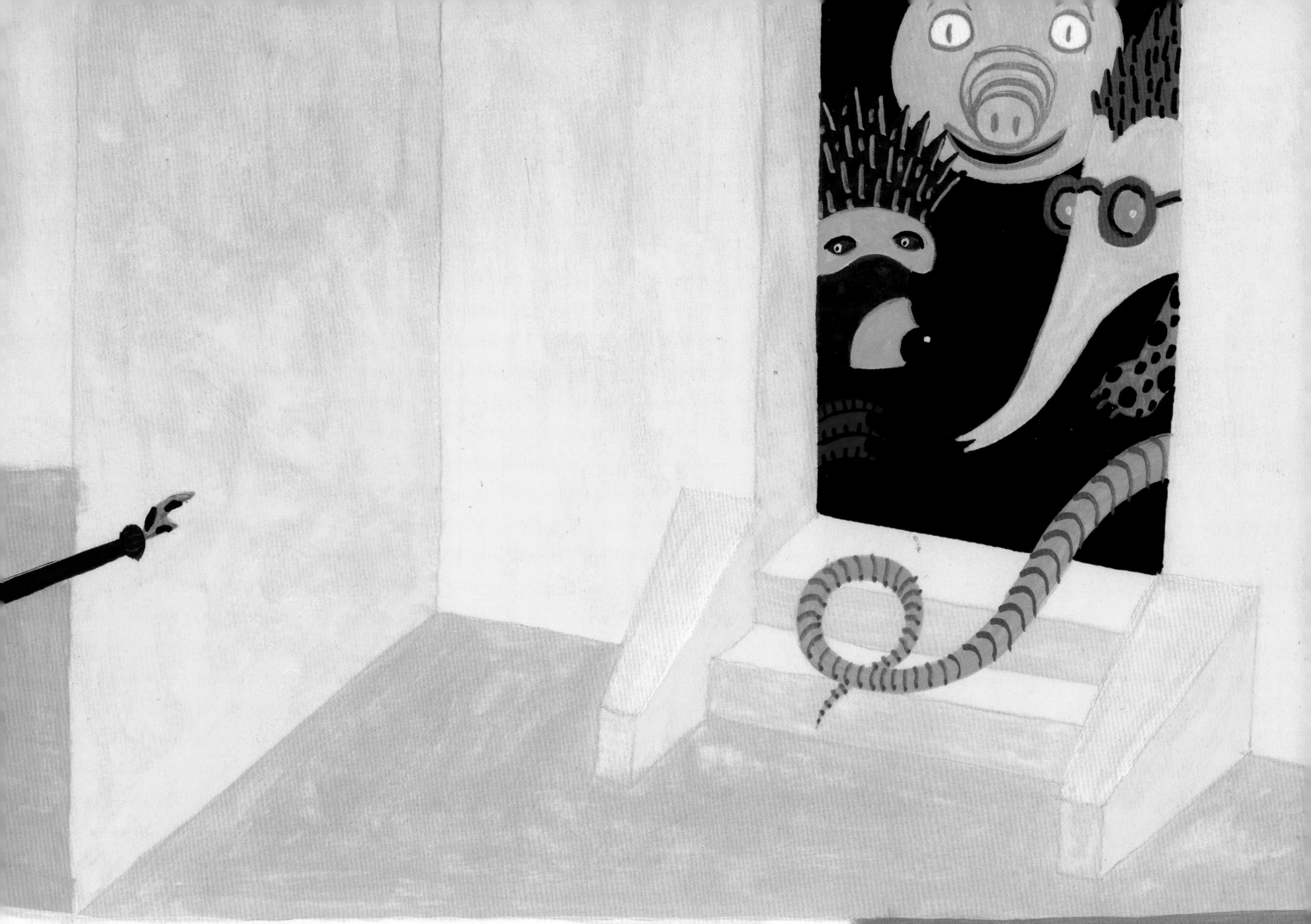

Ils ont déjà plein d'idées de déguisements.
C'est sûr, demain sur le chemin de l'école,
Zafo ne tremblera plus, il sera bien au chaud
sous son bonnet de girafeau !

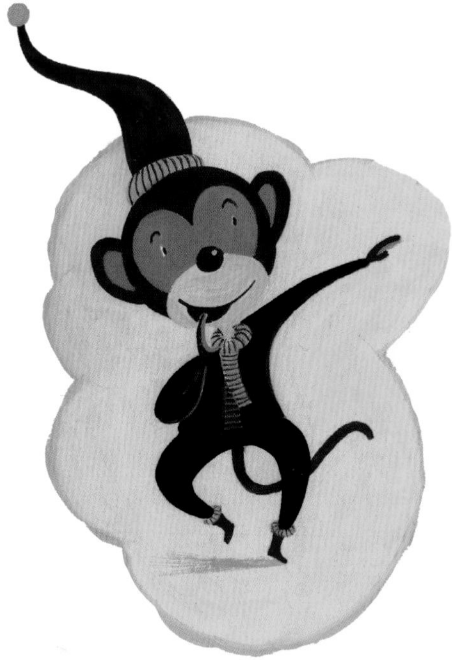

Direction générale : Gauthier Auzou
Direction éditoriale : Florence Pierron
Maquette : Annaïs Tassone
Fabrication : Olivier Calvet

© 2009 Éditions Philippe Auzou
Droits de traduction et de reproduction réservés pour tous pays.
Loi n° 49-956 du 16 juillet 1949 sur les publications destinées à la jeunesse.
Dépôt légal : 3ᵉ trimestre 2009
ISBN : 978-2-7338-1192-4
Ref. : R12385 D
Imprimé en Chine.

www.auzou.fr

Mes p'tits albums

Renard et les trois œufs

Moustache ne se laisse pas faire

Octave ne veut pas grandir

Roucoule est amoureuse

Petite taupe ouvre-moi ta porte !

Zafo le petit pirate !

La chauve-souris et l'étoile

Croquette devient grand frère

Armande la vache qui n'aimait pas ses taches !

Rosetta n'est pas cracra !

Berlingot est un superhéros

Le loup qui s'aimait beaucoup trop

Le loup qui voulait changer de couleur

Sa majesté Léonardo n'en fait qu'à sa tête

Petit panda cherche un ami

Séraphin, le prince des dauphins

Crocky le crocodile a mal aux dents

Robin, le petit écureuil des bois

Mika l'ourson a peur du noir

La petite souris et la dent

Le loup qui cherchait une amoureuse

Le loup qui ne voulait plus marcher

Ferdinand le Papa Goéland

Petit Castor reçoit un drôle de cadeau !

Manolo le blaireau se prépare pour l'hiver

Renato aide le Père Noël

Martin le pingouin a un nouveau voisin

Le loup qui voulait être un artiste

Camille veut une nouvelle famille

Le loup qui voulait faire le tour du monde

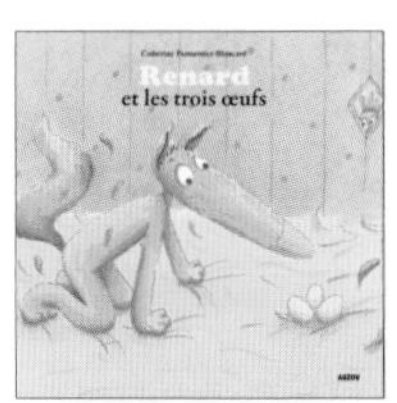

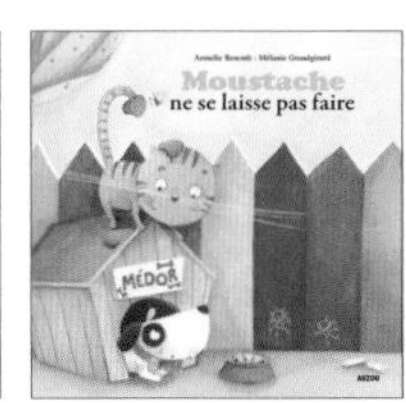

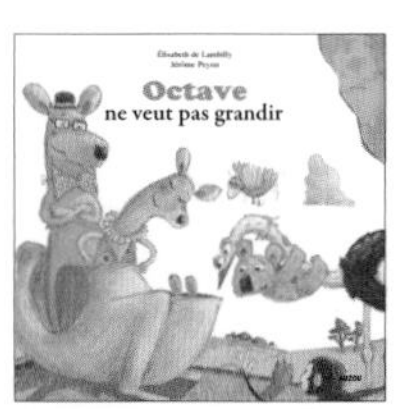

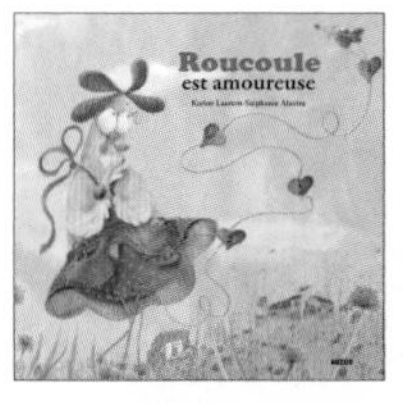

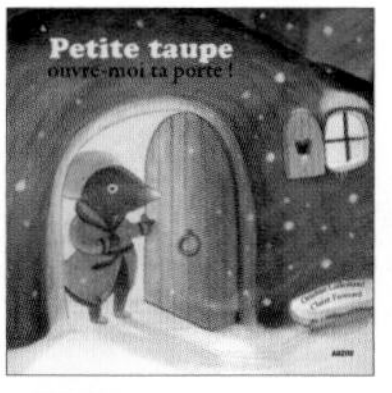

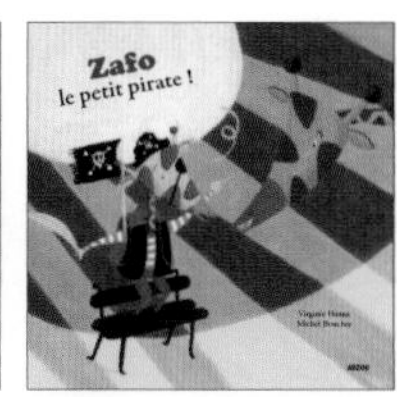

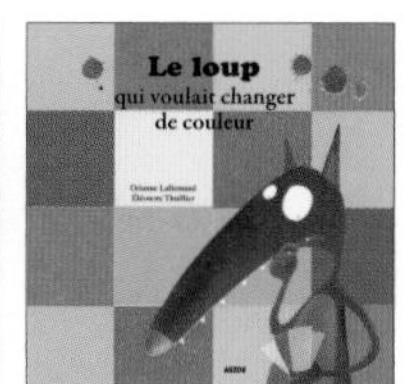

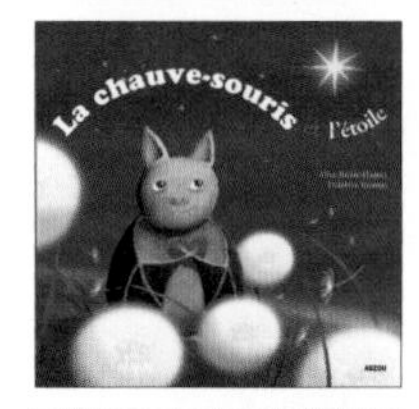

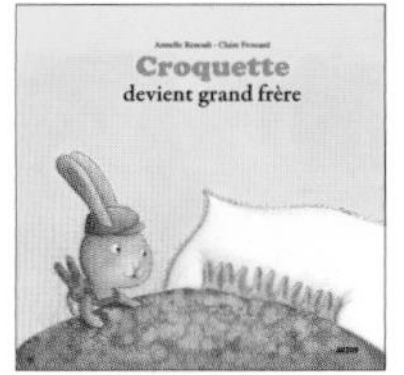

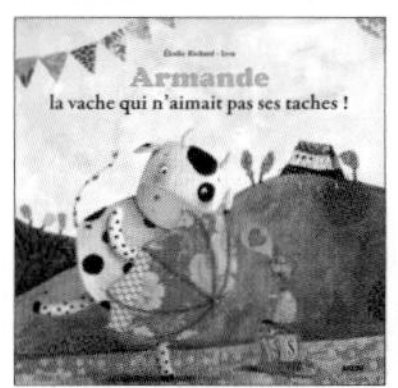

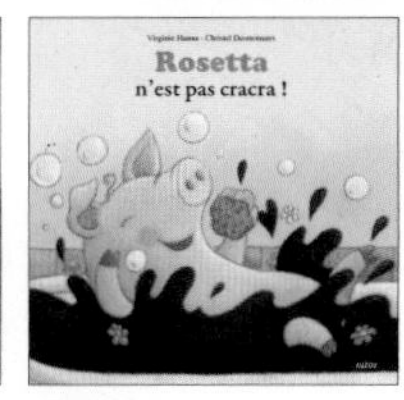

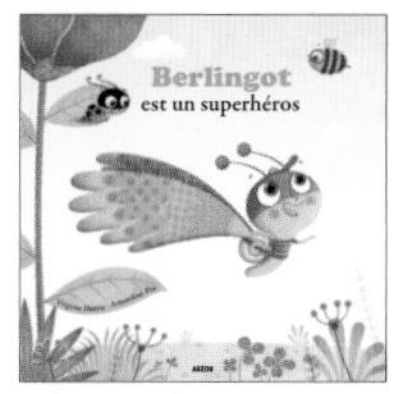

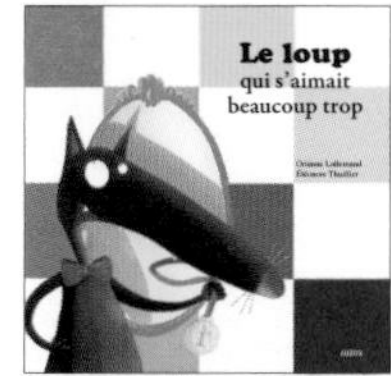

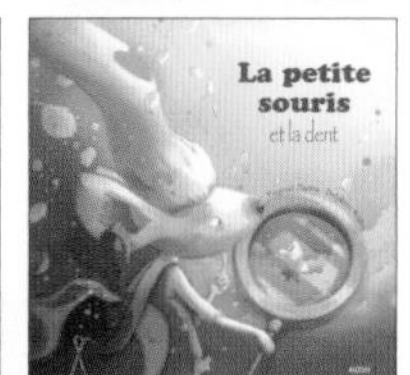

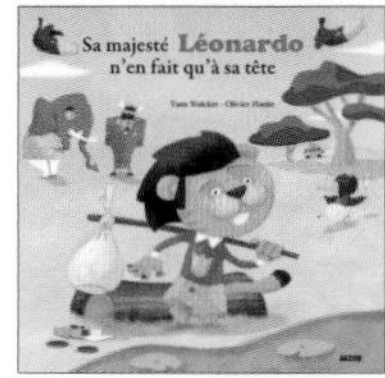

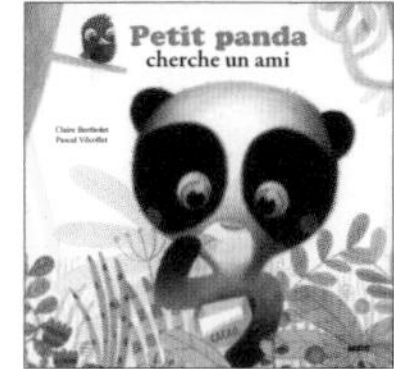

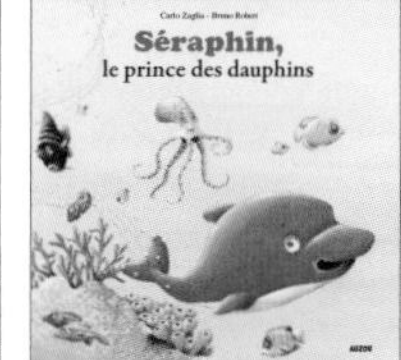

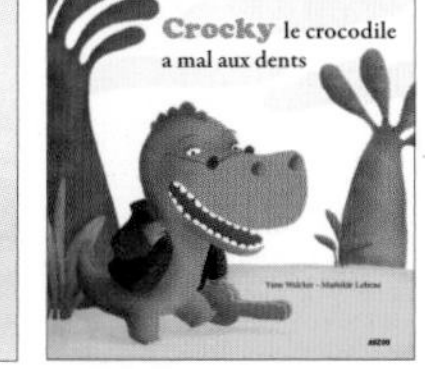

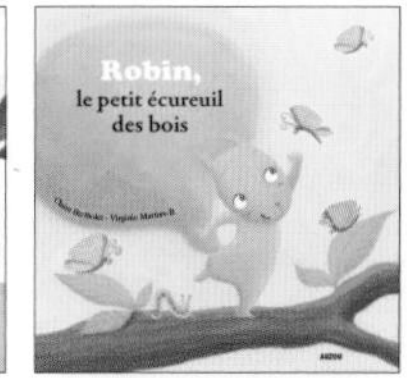

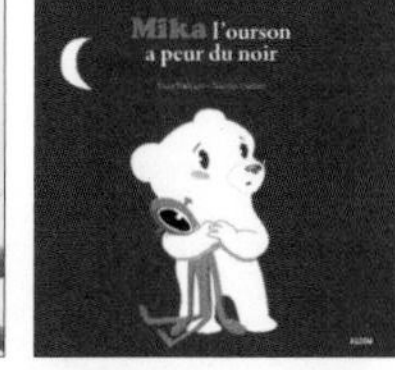

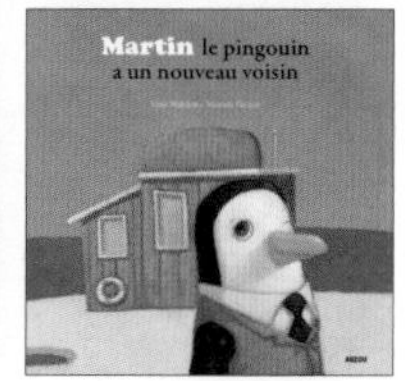

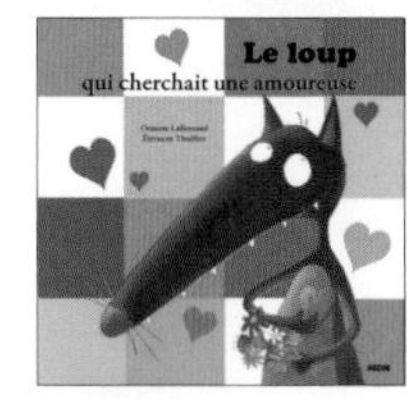

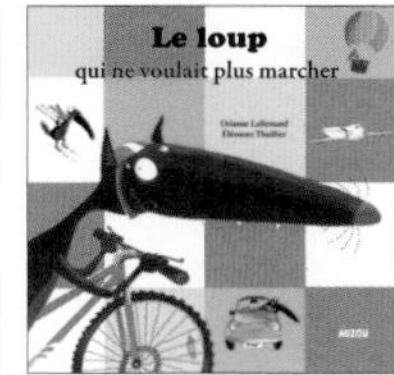

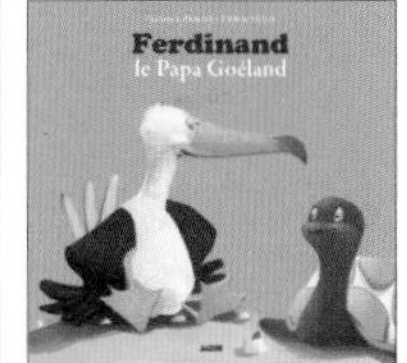

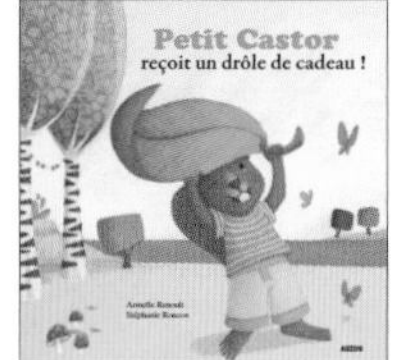

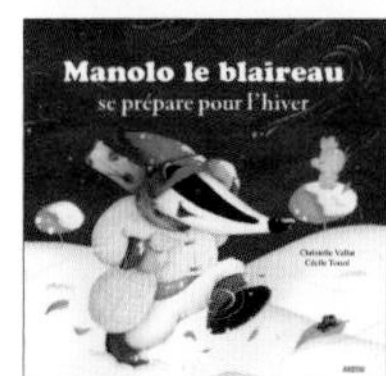

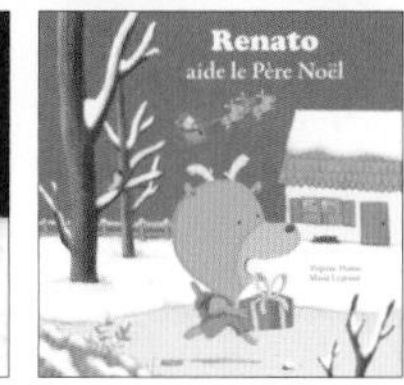

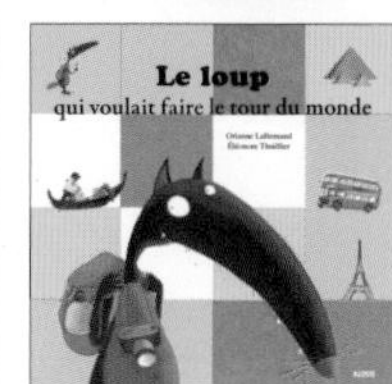

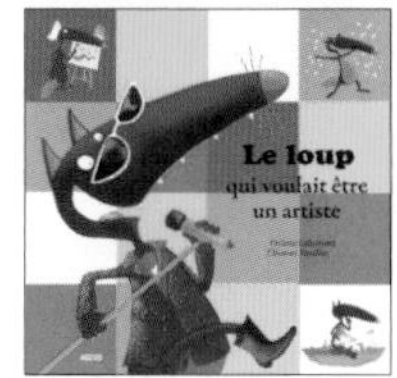

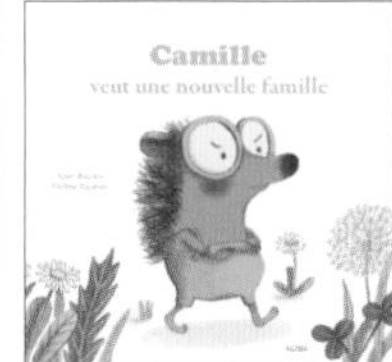

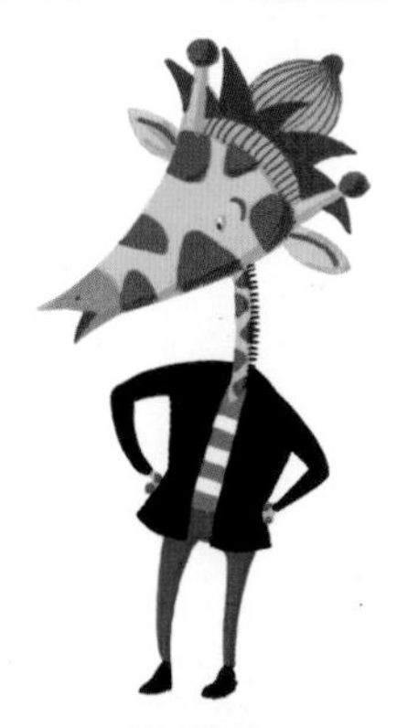

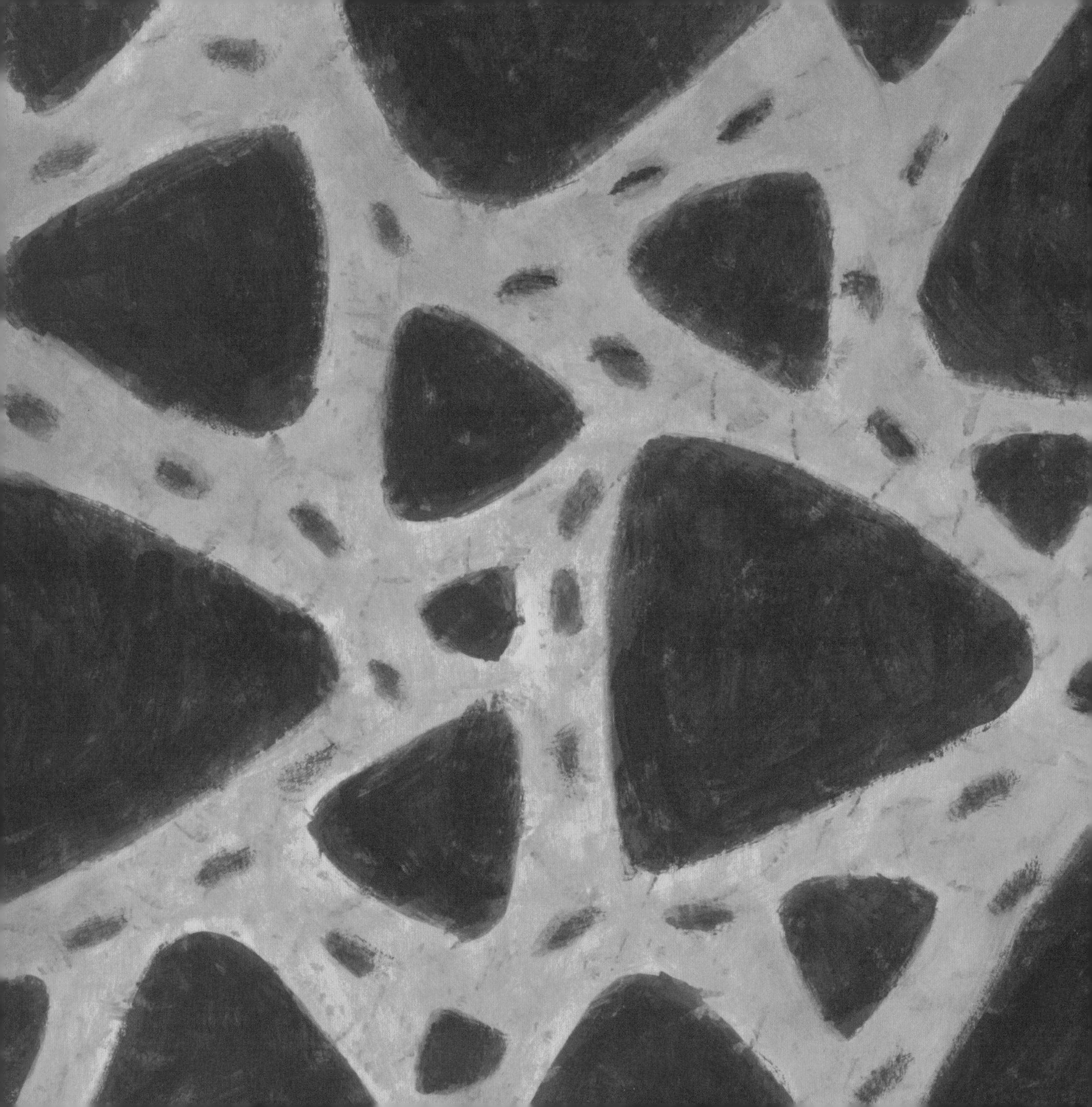